JOHANNES BRAHMS

TRIO

for Piano, Violin and Violoncello
C major/C-Dur/Ut majeur
Op. 87

Ernst Eulenburg Ltd
London · Mainz · Madrid · New York · Paris · Prague · Tokyo · Toronto · Zürich

BRAHMS, PIANO-TRIO, C MAJOR, OP. 87

The splendid Trio for Piano Violin and Violoncello op. 8. was written in 1854 and published in 1859. Considerable time elapsed before it found a brother from the same author; the Trio for Piano, Violin and Horn (Violoncello or Viola) may be considered it's step-brother. From a letter of Theodor Billroth to Brahms (June 20 th 1880) we learn that the master was at work on another Trio, or, to be more exact, on two others in C and E flat, the first two movements of which were finished. The letter runs: —"If these two movements and perhaps more were composed at Ischl, you must be in your best form. How easily the music runs on! Almost like an operatic Finale by Mozart! These two manuscripts of yours give me the sense of your untiring creative faculty better than any I have yet seen. In form and contents they are popular-classical chamber music in the best sense of the word. Continue with them in the same lively manner; they will not stand difficult middle movements. Whether one derives more pleasure out of that in E flat or in C depends on the mood one happens to be in at the moment. This was my first impression; the E flat Trio begins brightly and continues so; it was a happy thought to give the second subject to the strings alone, and the contrapuntal working-out is fine without being heavy. The C major Trio starts more seriously and rhythmically characteristic. The second subject seems to me almost too smooth, melodically and rhythmically too collected within itself. I should have prefered the use of longer notes, as Beethoven did, in like circumstance, with such great effect in his earlier works. Still these are only my first impressions; perhaps you know better. I can guess that you felt the need of a few moments rest by the two interpolated bars at the end of the first part. I am very anxious to see the following movements."

But for this, Billroth had to wait a little while. Unfortunately Brahms never completed the Trio in E flat; the too severe judgment of his own music caused him to destroy it. He played both movements to Clara Schumann on Sep. 13th 1880, — who prefered the one in E flat.

The C major Trio was finished in Ischl, July 1882 soon after the String Quintet (op. 88). Simrock was informed of the fact at once :—"Billroth took a Trio of mine to my copyist yesterday. You have not yet had such a beautiful Trio. from me and very likely have not published one to equal tt within the last ten years. Brahms must have sent it to Clara Schumann soon afterwards for she wrote him from Gastein on Aug. 1st: —"Such a Trio is great musical treat! I wished I had had the instruments here as I could only guess at many of the effects especially on a poor little piano! Still it is a splendid work; there is much in it that delights me and I am longing to hear it properly.

II

It is splendidly executed, one figure or theme arising from another. The Scherzo has great charm and the Andante, with its doubled octaves, must sound quite like a folk-song. The Finale is lively and interesting in its artistic combinations. I ought to mention a few details which have occurred to me . . . The Trio of the Scherzo is not quite important enough and seems rather manufactured. Pardon me, but you must remember I have not yet heard it properly . . ."

The Trio was heard for the first time on Aug. 25 st 1882 in the presence of visitors at the villa of Professor Ladislaus Wagner in Alt-Aussee. Brahms, for a joke, pretended it was written by Ignaz Brüll who was at the piano. Ludwig Straus the London Solo Violinist the and excellent Violoncellist Rudolf Lutz were the two string-players. The first public performance took place on March 15th 1883 at one of Hellmesberger's Quartett evenings in Vienna, with Brüll again as pianist.

When discussing the fee for this work with his publisher, Brahms humourously pointed to the Variations as making the composition of special importance, saying that the public expected them from him.

Berlin.

Wilh. Altmann

BRAHMS, KLAVIER-TRIO, CDUR, OP. 87

Das herrliche, in der Hauptsache 1854 entstandene Trio für Klavier, Violine und Violoncell, Op. 8, das 1859 gedruckt worden ist, hat lange warten müssen, bis es einen Bruder erhielt, wenngleich sein Stiefbruder, das Trio für Klavier, Violine und Waldhorn (ersetzbar durch Violoncell oder Viola), bereits 1868 erschienen war. Daß Brahms wieder an einem neuen Klaviertrio oder vielmehr gleich an zweien, einem in C und einem in Es, arbeitete, von denen nur die ersten Sätze fertig waren, erfahren wir durch einen Brief Theodor Billroths vom 20. Juni 1880 an Brahms, worin es heißt: „Wenn beide Sätze und vielleicht noch mehr jetzt in Ischl entstanden sind, so befindest Du Dich in glücklichster Stimmung. Wie das hinfließt und sich fortspinnt! Fast möchte ich sagen, wie ein Mozartsches Opernfinale! Ich habe selten von Deinen Manuskripten den Eindruck eines so mühelosen Schaffens gehabt wie von diesen Sätzen; sie sind nach Form und Inhalt im besten Sinne des Wortes klassisch-populäre Kammermusik. Die Wege müssen in Ischl besonders eben und gut sein, da der Schritt nirgends gehemmt ist; auch vom Regen merkt man nichts, der sonst im Salzkammergut wohl auch verdrießlich machen kann Laß es nur so flott und frisch fortgehen; ich meine, diese Anfänge vertragen keine schweren Mittelsätze. Ob man mehr an Es-Dur oder an C-Dur Behagen findet, hängt wohl von momentanen Stimmungen ab. Mir ist der erste Eindruck geblieben. Das Es-Dur ist gar so frisch gleich im Anfang und geht auch so fort; es wird besonders gekrönt durch den Eindruck, welchen das zweite Motiv auch dadurch macht, daß es zuerst in den Saiteninstrumenten allein auftritt; durch die kontrapunktische Weiterführung gestaltet es sich immer schöner, ohne je schwerfällig zu werden. Das C-Dur tritt etwas ernster auf, rhythmisch sehr charakteristisch. Das zweite Motiv ist mir fast etwas zu weich, melodisch und rhythmisch in sich selbst zusammengezogen; ich hätte hier mehr das Bedürfnis nach längeren Noten, wie sie Beethoven in seinen früheren Werken in solcher Verbindung so oft mit herrlicher Wirkung bringt. Doch das sind so erste Eindrücke. Du mußt es besser wissen. Daß Du auch empfunden hast, daß einige Ruhemomente in dem Satz nötig sind, sehe ich in den eingeschalteten zwei Takten am Ende des ersten Teils. Ich bin nun sehr gespannt auf die folgenden Sätze."

Auf die aber mußte Billroth noch ein ganzes Weilchen warten: das Trio in Es hat Brahms leider überhaupt nicht vollendet, den fertigen ersten Satz infolge seiner überstrengen Selbstkritik vernichtet. Er hatte ihn wie auch den ersten Satz des Trios in C am 13. September 1880 noch Klara Schumann vorgespielt, der der Satz in Es besser gefiel als der in C.

Vollendet wurde dieses C-Trio Anfang Juli 1882, bald nach dem als Op. 88 erschienenen Streichquintett in Ischl, und diese Tatsache bald darauf Simrock mit den Worten angezeigt: „Billroth hat gestern ein Trio mit zu meinem Kopisten genommen, und ein Streichquintett kommt gerade zurück — ich sage Ihnen, ein so schönes [Trio] haben Sie noch nicht von -mir, haben Sie vielleicht in den letzten 10 Jahren nicht verlegt!!!" Brahms muß es bald an Klara Schumann geschickt haben, die ihm von Gastein aus am 1. August darüber schrieb: „Das war ja eine rechte musikalische Erquickung, solch ein Trio! hätte ich nur gleich die Instrumente dabei gehabt, denn vieles konnte ich ja doch nur ahnen, noch dazu habe ich ein erbärmliches Pianino! Welch ein prachtvolles Werk ist das wieder! wie vieles entzückt mich darin, und wie sehnsüchtig bin ich, es ordentlich zu hören. Jeder Satz ist mir lieb, wie herrlich die Durchführung, wie blättert sich da immer ein Motiv aus dem andern, eine Figur aus der andern! Wie reizend ist das Scherzo, dann das Andante mit dem anmutigen Thema, das eigentümlich klingen muß in der Lage der doppelten Oktaven, ganz volkstümlich! Wie frisch der letzte Satz und so interessant in seinen kunstvollen Kombinationen! Einige Kleinigkeiten, die mir aufgefallen, darf ich Dir wohl sagen . . . . Im Scherzo, das ich ganz entzückend finde, kommt mir das Trio nicht bedeutend genug vor, auch nach dem Scherzo, was einen so wonnig bewegt, zu wenig anmutig, und klingt mehr gemacht wie empfunden. Verzeihe, Du mußt in Betracht ziehen, daß ich es nicht in seiner vollen Wirkung gehört, nur so geradebrecht habe . . . ."

Zum ersten Male erklang dieses Trio, das Brahms scherzend für ein Werk von dem dabei Klavier spielenden Ignaz Brüll ausgab, am 25. August 1882 vor einem geladenen Publikum in der Villa des Professors Ladislaus Wagner in Alt-Aussee; Ludwig Straus, der Soloviolinist der Londoner Hofkonzerte, und der sehr tüchtige Violoncellist Finanzrat Rudolf Lutz wirkten mit. Die erste öffentliche Aufführung fand erst am 15. März 1883 in Wien in einer Quartettsoiree Hellmesbergers statt; auch dabei saß Brüll am Klavier.

Als der Komponist über das Honorar in launiger Weise mit seinem Verleger verhandelte, hob er als besonderen Vorzug des Werks die Variationen hervor, in denen ihm die Leute immer etwas zutrauten.

Wilh. Altmann

Trio

I

Johannes Brahms, Op. 87
1833-1897

10

Andante con moto

22

III

E.E.4581

IV

Finale. Allegro giocoso

E.E. 4581

40

E.E.4581

44

E. E. 4581